D1113176

Coup de foudre

La publication de ce livre a été rendue possible grâce à l'aide financière du ministère des Communications du Canada, du Conseil des Arts du Canada et du ministère de la Culture du Québec.

©
XYZ éditeur
1781, rue Saint-Hubert
Montréal (Québec)
H2L 3Z1
Téléphone: 514.525.21.70
Télécopieur: 514.525.75.37

et

les auteurs

Dépôt légal: 4ᵉ trimestre 1993
Bibliothèque nationale du Canada
Bibliothèque nationale du Québec
ISBN 2-89261-097-4

Distribution en librairie:
Socadis
350, boulevard Lebeau
Ville Saint-Laurent (Québec)
H4N 1W6
Téléphone (jour): 514.331.33.00
Téléphone (soir): 514.331.31.97
Ligne extérieure: 1.800.361.28.47
Télécopieur: 514.745.32.82
Télex: 05-826568

Conception typographique et montage: Édiscript enr.
Maquette de la couverture: Lucie Lacava

Coup de foudre

CHRYSTINE BROUILLET

ESTHER CROFT

CLAIRE DÉ

RENÉ-DANIEL DUBOIS

DAVID HOMEL

ROBERT LALONDE

MICHELINE LANCTÔT

STANLEY PÉAN

MONIQUE PROULX

JEAN-ROBERT SANSFAÇON

XYZ éditeur   LE DEVOIR

Coups de foudre
et coups de cœur

*C*ertains y croient. D'autres pas. Y croient ceux qui,
un jour, ont connu le phénomène. Les autres seront à jamais sceptiques... à moins que, comme Paul
sur le chemin de la vie, la foudre ne les frappe à leur
tour.

Les dix auteurs qui ont écrit les nouvelles réunies
dans ce petit volume savent, eux, que la foudre
frappe. Pas toujours de la manière voulue, ni au
moment souhaité, mais elle frappe. Parfois de façon
douce, parfois de façon sournoise, mais toujours
impromptue. C'est alors le grand élan, la révélation
qui vient bouleverser notre vie. C'est le bonheur à la
clé. Du moins on le pense. On le souhaite.

Un rayon de soleil peut, oui, nous révéler le jardin
caché que l'on n'osait plus espérer dans notre vie.
Monique Proulx a découvert de cette façon le paradis.
La rencontre du bonheur est inattendue. Elle peut
survenir n'importe où. Aussi bien sous le ciel de
Naples que sous celui de Moscou ou encore, plus
simplement, dans un banal salon du quartier Villeray.
Toute notre existence en est alors marquée.

L'éclat « d'un métal enfin poli » peut par contre
nous renvoyer à la « pâle dimension d'un samedi
matin ». C'est alors la « foudre d'escampette » comme

nous le raconte Esther Croft. Il faut parfois se méfier
de l'état de grâce, car l'amour peut être « à deux
temps ». Il peut être vengeur. Il peut porter le malheur.

La lecture de ces dix nouvelles vous fera rêver.
Peut-être vous rendront-elles même un peu tristes, car
elles ranimeront le souvenir des grandes passions,
sinon des coups de cœur, que tous nous avons eues
un jour ou l'autre. Mais attention ! l'imaginaire est,
pour reprendre la belle expression de Claire Dé, « le
plus puissant aphrodisiaque »...

Ce recueil est le fruit d'une riche idée datant
maintenant de quatre ans. Une idée qui a engendré
une tradition au Devoir. Il y a eu Un été, un enfant,
Avoir dix-sept ans, Le Montréal des écrivains puis
Coup de foudre. Alors que l'actualité se met au ralenti
pour l'été, des auteurs viennent, pour le plus grand
plaisir de nos lecteurs, prendre la relève des acteurs
traditionnels de l'information qui, eux, ont pris la
route des vacances.

Cette quatrième série littéraire a été lancée par
notre collègue Odile Tremblay qui voulait assaison-
ner l'été d'un brin de passion sous forme de coups de
foudre. Les auteurs qu'elle a invités à puiser dans
leurs souvenirs et dans leur imagination ont été ravis.
Nous les remercions de leur collaboration. Merci
aussi à Odile et à Stéphane Baillargeon qui l'a assis-
tée. Merci également à Lucie Lacava qui a créé la
couverture de ce livre et à nos photographes.

L'été 1994 sera certainement l'occasion d'un autre
rendez-vous littéraire. Un cinquième. En attendant,

ceux qui ont manqué celui de cet été peuvent se rattraper grâce à ce recueil qui est aussi une occasion de générosité puisque les droits d'auteur seront versés à Jeunesse au soleil, un organisme pour lequel nous devrions tous avoir un coup de cœur.

Bernard Descôteaux,
rédacteur en chef

Hélène et Hervé

Chrystine Brouillet

Photo: Jacques Grenier

Chrystine Brouillet

Elle écrit des romans noirs depuis 1982. Elle a fait paraître entre autres: *Le poisson dans l'eau* et *Préférez-vous l'iceberg* écrits et publiés à Paris chez Denoël ainsi que plusieurs romans policiers destinés aux jeunes lecteurs et tous parus à La Courte Échelle.

Paris, le 12 mars 1992

Ma belle Hélène,

Je sais que tu peux me pardonner. Je ne t'ai pas
appelée avant de partir pour Paris, mais je
n'avais pas envie de parler. Même pas à toi.
Le procès m'a écœurée. J'avais déjà lu que c'est
comme un second viol. C'est vrai. Je savais que la
partie serait rude, mais comme je n'étais pas la
seule victime d'Hervé Guimond, je pensais que
j'avais une chance. Une chance de le voir croupir en
prison de nombreuses années. Résultat: trois ans.
Ça veut dire qu'il sera libéré dans un peu plus d'un
an. J'ai envie de vomir.

Ici, j'espère être distraite de cette douleur, de
cette nausée. J'ai tant de beaux souvenirs à Paris; ils
m'aideront à surmonter ma rage. Pas ma peur, ni ma
peine, je le crains. J'ai souvent l'impression d'être
suivie. Et je n'ai jamais invité un homme à prendre
un verre chez moi. Je sors, je regarde les marron-
niers en fleurs, les lilas, les jacinthes et je me dis
que je ne rentrerai pas à Montréal. « Il » a juré de me

tuer quand il ressortirait de prison. Je m'arrête souvent aux terrasses des bistrots, j'aime l'odeur
lourde de la gitane. J'aimerais donc que ma peur
s'envole comme la fumée. Les policiers ont dit qu'ils
ne pourraient pas me protéger vingt-quatre heures
sur vingt-quatre, que Guimond exagérait.

Ne t'inquiète pas pour moi, je vais me ressaisir. Il
paraît que deux femmes ont « succombé » au charme
de Guimond durant le procès; ça aussi ça m'a dé-
goûtée. Comment peuvent-elles s'amouracher d'un
violeur ? C'est qu'elles ne me croient pas... Heureu-
sement que tu étais près de moi.

Je t'embrasse,
Louise.

❏

Montréal, le 13 avril 1992

Cher Monsieur Guimond,
Ma lettre va probablement vous surprendre,
mais je ne pouvais pas me taire plus longtemps. J'ai
suivi votre procès avec passion. Et une colère qui
ne me quitte plus. Je ne comprends pas qu'un
homme de votre talent ait été condamné comme un
vulgaire criminel. J'ai vu tous vos films; je sais au
plus profond de mon âme qu'un réalisateur qui fait
preuve d'une si grande sensibilité et d'une telle déli-
catesse ne peut être un violeur. Cette femme, cette
Louise Durand est une folle; elle vous a provoqué
pour vous accuser ensuite. Je devine ce qui s'est
passé; vous l'avez vue une fois, elle s'est éprise de
vous, elle voulait que vous poursuiviez votre rela-

tion, que vous vous investissiez, mais vous avez refusé. Déçue, elle s'est vengée. Je suis une femme, moi aussi, mais je n'accepte pas que mes «sœurs» usent de ces armes. J'ai bien vu comme l'avocat était influencé par ses pleurs et son faux évanouissement. Quel lamentable gâchis!

J'espère que vous ne vous découragez pas et que les murs sordides de la prison ne freinent pas votre imagination. J'espère que vous imaginez le chef-d'œuvre que vous créerez quand vous quitterez cette geôle infâme.

De tout cœur et avec ma vive admiration,
Hélène Lebrun

❏

Montréal, le 6 juillet 1992

Chère Hélène,

J'ai reçu vos trois lettres qui m'ont fait tant de bien. Si vous saviez comme votre appui m'est doux. Il me fait oublier les incessantes brimades dont je suis victime. Ici, je suis entouré de bêtes. Des animaux qui n'ont jamais lu aucun livre, vu aucun film hormis *Rambo* ou *Les Salopes*, qui ne connaissent ni Varèse, ni Le Bernin, ni Barthes. Dans ce désert de culture, votre lettre m'a profondément touché. Abreuvé, même. Sauvé. Oui, sauvé.

Avec ma reconnaissance,
Hervé Guimond

❏

Montréal, le 8 novembre 1992

Mon Hervé,

Sois patient! J'ai vu ton avocat cette semaine. Il m'a fait entrevoir la possibilité que tu aies une permission avant la fin de l'année. Comme je serais heureuse de te voir: Béatrice n'espéra pas Dante avec plus de passion que je t'attends, moi, ce jour, cette nuit, cette vie. Les visites mensuelles sont un vrai supplice. Dimanche dernier, quand tu t'es éloigné vers le fond du corridor, j'ai eu toutes les peines à me retenir. J'ai compris Orphée qui chercha Eurydice aux Enfers. J'avais envie de te suivre dans ta geôle, d'y vivre, d'y dormir avec toi jusqu'à la fin de ton «temps», comme le disent les voisins. Je remue ciel et terre pour qu'une rétrospective de tes films soit présentée le jour de ta libération. Il nous faut une grande salle, que ton génie explose à la face du monde! Et ton scénario? Je suis gênée qu'un des personnages me ressemble... mais flattée. Pourtant, je suis si peu intéressante comparée à toi. Comment peux-tu m'aimer? Et moi qui ne croyais plus au coup de foudre!
Ton Hélène

❏

Montréal, le 24 janvier 1993

Ma chérie,

Je suis si heureux à la pensée de passer toute une journée avec toi, dehors. DEHORS. Ce mot me fait presque peur. Mais tu seras à mes côtés. Je suis ravi que tu aies pu mettre la main sur mon premier film. J'ai vraiment envie de voir *L'Ondine*. Ce film boudé par le public, tu es la seule à l'avoir compris. Les critiques qui m'avaient alors encensé ne sont plus dignes de le revoir après leur lâcheté à mon procès. Louer une salle de projection doit t'avoir coûté une fortune. Je sais bien que tu es riche, mais ça m'ennuie que tu dépenses autant pour moi. Je mettrai le Cerruti que tu m'as offert à Noël. N'oublie pas qu'aucun journaliste ne peut être présent. On me l'interdit. Alors, sois prudente, même si tu as envie de crier mon innocence à tous.

À très vite, à toujours,
Hervé

❏

Montréal, 14 février 1993

Mon amour,
L'an prochain, nous célébrerons la Saint-Valentin ensemble! Mais dans huit jours, tu seras à mes côtés. Ta première sortie! Enfin! Ma main tremble en t'écrivant tellement je suis excitée. Je serai devant l'entrée de la prison à l'heure dite. J'ai parlé au responsable et lui ai donné notre plan pour la journée, ainsi que mon adresse et celle de la salle de projection. Mon avocat m'accompagnait; j'ai pensé que ce serait mieux. Nous aurons donc dix heures à nous.

À nous, Hélène qui t'aime

❏

Montréal, 1er mars 1993

Ma Louise,

Tu n'as plus rien à craindre; Hervé Guimond est mort lors de sa première sortie. Je t'envoie les coupures de journaux. Les policiers m'ont dit que j'avais été bien imprudente d'emmener un criminel sur le mont Royal, à la tombée du jour. J'ai expliqué qu'Hervé Guimond avait insisté, qu'il trouvait romantique d'embrasser sa fiancée à cet endroit. Ils m'ont demandé si j'avais vu Hervé fouiller dans les tiroirs de ma cuisine quand il était chez moi. Non, je ne l'avais pas vu prendre le couteau. Non, je ne me méfiais pas. Oui, j'avais été chanceuse; s'il n'avait pas glissé sur un bloc de glace, j'aurais été violée. Et tuée, probablement. Il avait juré de ne pas retourner en prison; son compagnon de cellule l'a rapporté aux gardiens.

J'ai quelques égratignures aux mains, preuves que je me suis battue contre Hervé Guimond.

Il n'avait aucune chance de gagner, crois-moi. Son orgueil l'a perdu. Ma dextérité l'a achevé.

Sois en paix, Louise. Tu m'as sauvée de la noyade quand j'avais huit ans. J'espère te rendre la vie à mon tour.

Reviens donc à Montréal! Ce n'est pas encore l'été, mais les jours allongent doucement, gentiment.

Ton amie Hélène

La foudre d'escampette

Esther Croft

Photo: Louise Bilodeau

Esther Croft

Elle enseigne la littérature québécoise à l'Université Laval et elle est l'auteure de deux recueils de nouvelles publiés aux Éditions Boréal: *La mémoire à deux faces* (1988) et *Au commencement était le froid* (1993).

Jamais encore, je ne l'avais vu aussi beau. À la fois sûr de lui et infiniment vulnérable. Jamais sa stature ne m'était apparue aussi haute et aussi humble, ses gestes si parfaitement maîtrisés et pourtant d'une douceur émouvante. Comme si, en quelques heures, après une lente et imperceptible maturation, il avait atteint subitement l'exacte mesure de son être. Quand je l'ai vu apparaître devant moi, ce matin-là, j'ai su que j'avais sous les yeux un homme qui, enfin, venait de naître à ce qu'il avait de plus précieux et de plus singulier et que personne désormais ne saurait le faire dévier de sa plus authentique ligne de vie.

J'étais éblouie. Profondément confirmée dans mes intuitions les plus viscérales devant cette apparition qui déployait sous mes yeux des contours d'une netteté troublante, à cette soudaine transformation du noir et blanc à la couleur, à l'éclat insoupçonné d'un métal enfin poli. Je ne m'étais donc pas trompée. J'avais eu raison d'être patiente et aimante; tenace et confiante. Envers et contre tous les prophètes de malheur qui me prédisaient depuis longtemps l'inutilité de mes attentes face à un improbable changement.

J'avais eu parfaitement raison de prendre des vessies pour des lanternes, de vendre la peau de l'ours avant de l'avoir tué, de trop embrasser pour mieux étreindre, de mettre tous mes œufs dans le même panier, de prendre la proie pour l'ombre et mes désirs pour des réalités, de croire qu'un « tu l'auras » vaut bien mieux qu'un « tiens » parce que tout vient à point à qui sait attendre.

Et j'avais su attendre. Durant toutes ces années qui avaient suivi notre première rencontre, durant toutes ces nuits et tous ces jours à partager le même idéal, les mêmes déceptions et le même prêt hypothécaire, je n'avais jamais voulu me satisfaire du jeu trompeur des apparences. J'avais toujours voulu croire que la face cachée des choses est souvent plus séduisante que l'autre, surtout si elle nous reste longtemps cachée. J'étais toujours parvenue à croire que l'homme que j'avais choisi d'aimer valait beaucoup plus que ce qu'il osait me révéler de lui, que l'intime richesse de son être dépassait même, peut-être, mes fantasmes les plus démesurés; que ce que j'appréciais déjà en lui ne représentait pas le quart du huitième du seizième de ce que j'allais pouvoir un jour découvrir dans toute sa gloire.

Ce jour-là est arrivé. Un samedi matin à neuf heures moins le quart exactement. J'étais au salon à prendre un premier café en me disant qu'avec un peu de chance, il serait debout vers les onze heures et que si la nuit n'avait pas été trop mauvaise, si les préoccupations n'étaient pas trop nombreuses et l'angoisse trop intense, la journée risquait d'être passablement satisfaisante. Mais quand je l'ai vu apparaître devant moi deux heures plus tôt que prévu, déjà douché, déjà rasé, les fesses plus hautes que d'habitude dans un pantalon moulant que je ne lui connaissais pas, la chemise entrouverte, juste assez pour donner à la main l'envie de s'y faufiler, la poitrine fière et les épaules nobles comme celles des danseurs de Maurice Béjart, le regard plus large et plus brillant, les lèvres déjà gonflées de paroles toutes neuves, j'ai su tout de suite qu'il était devenu tel que je l'avais toujours rêvé. Qu'il correspondait très exactement à l'image que je m'étais faite de lui dans la fougue de mes plus grandes espérances. Au-delà même, peut-être.

La correspondance était telle qu'il m'a fallu un long moment pour m'apprivoiser au nouveau profil que venait de prendre la réalité, dans une version revue et corrigée. Même si je savais depuis toujours que cet homme-là était lui et aussi quelqu'un d'autre, il fallait que mon regard s'adapte d'abord à cet autre avant que mon corps tout entier ne s'y précipite, ne s'y plonge et ne s'y perde pour renaître à son tour; il fallait que je donne à chaque pore de ma peau le temps de s'élargir à la mesure de l'inespéré et de l'inattendu; que je goûte en moi-même le gonflement de l'exaltation avant de mordre à pleine bouche au fruit enfin permis.

Pendant que je m'émerveillais de ce visage et de ce corps transfigurés, je ne pouvais m'empêcher de me réjouir de mon acharnement des dernières années. Et d'un seul coup, tous les pardons accordés, toutes les maladresses oubliées, tous les écarts passés sous silence m'apparaissaient d'un poids bien dérisoire à côté de l'intensité, de la grâce, de la fulgurance du moment qui allait m'être donné. Oui, j'avais souffert, oui j'avais pleuré. Oui, j'avais déjà été suffisamment frustrée pour perdre par moments la foi, l'espérance, la charité et l'appétit. Oui, j'avais déjà connu le doute au point d'en arriver à la sinistre conclusion qu'on ne peut pas changer quelqu'un. Oui, mes espoirs avaient été déçus, peut-être même plus souvent qu'à mon tour. Mais toutes ces petites attentes devenaient parfaitement ridicules à la lumière de celle, l'unique, l'incommensurable, qui ne manquerait pas d'être comblée aux alentours de neuf heures moins dix.

Je tentais encore, de plus en plus mollement, de résister à mes instincts les plus primaires quand il s'est avancé vers moi. Je le regardais, émue, s'approcher lentement, dans toute la confiance et la fragilité d'une première fois. Et comme la première fois, je n'osais pas ouvrir la bouche, de peur que les mots ne le fassent disparaître, comme Aladin dans sa lampe. De peur que l'enchantement ne se réduise à la pâle dimension d'un samedi matin. C'est lui qui, à la fois sûr de lui et infiniment vulnérable, a osé rompre le silence.

« Je te quitte aujourd'hui. Je suis trop amoureux de... »

Je n'ai rien répondu. Je n'ai pas bougé non plus. Même pas pour ramasser ma tasse que j'ai laissée tomber sans m'en apercevoir. Le café s'est répandu jusqu'à lui. Quelques gouttes, je crois, ont éclaboussé son pantalon neuf.

Comme un état de grâce

Claire Dé

Photo: John Reeves

Claire Dé

Née à Montréal; se voue uniquement à la littérature; dernières parutions: *Le désir comme catastrophe naturelle*, nouvelles (Glénat/L'Étincelle, 1989, prix Stendhal 1989), *Sentimentale à l'os. Quatre pièces en un acte* (VLB éditeur, 1991), *Chiens divers (et autres faits écrasés)*, nouvelles, (XYZ éditeur, 1991) et *Sourdes amours*, roman (XYZ éditeur, 1993).

N'a-t-elle pas combattu ce? Comment qualifier? Cet intense tressaillement interne? À seize ans moins une semaine, comment y serait-elle parvenue, comment parvient-on à se défendre contre? Ce frisson inconnu? Ce frisson intérieur, suivi d'un éclair? Cette illumination? Comme si elle avait été touchée par une nouvelle et irrésistible foi? Comme si le Ciel Lui-même le lui désignait? Ce serait donc lui, l'élu? Ce William?

William: cet Anglais du voisinage, aux cheveux bruns tout juste un peu trop longs, aux belles épaules sous son blouson McGill, un protestant sans doute? Mais pourquoi lui? Le coup de foudre frappe donc ainsi, à l'aveuglette? Oh... ne l'a-t-elle pas remarqué depuis quelque temps, ce William? N'a-t-elle pas remarqué surtout comment, lui, il la regarde, lorsqu'il la croise dans la rue? Et cet épisode au Cinéma V, lorsqu'il a sursauté en la repérant dans la file bruyante des habitués du *Rocky Horror Picture Show*? Comment elle avait choisi un fauteuil au bord de l'allée, et comment il s'était assis exactement à sa hauteur, de l'autre côté de l'allée?

Comment elle et lui s'étaient observés, durant tout le film? Ne se lâchant pas, ne fût-ce qu'une seconde, du coin de l'œil?

Ce serait donc lui? Comment tout cela s'organiserait-il? Après tout, n'a-t-elle pas seize ans dans une semaine? Ne verse-t-elle pas docilement à la banque, pour ses futures études universitaires, tous les sous qu'elle gagne en gardant les enfants des autres? Pourtant, n'est-elle pas une jeune fille sérieuse, dont on ne vérifie jamais si elle a terminé ses devoirs, car ils le sont toujours? Ne se classe-t-elle pas dans les premières à l'école, parce qu'elle connaît trop bien les sacrifices que s'impose sa famille pour l'envoyer dans ce chic collège privé? Elle étudie de son mieux, mais n'est-ce pas plutôt qu'elle possède aussi cette faculté de deviner ce que ses enseignantes lui demanderont?

Pourquoi ses parents s'objecteraient-ils à ce qu'elle garde ainsi les enfants des autres pratiquement tous les soirs? Pourquoi les gens ne lui accorderaient-ils pas toute leur confiance? Ils rentrent aussi tard que souhaité, et ne la trouvent-ils pas en train de bouquiner, cette sérieuse jeune fille? N'est-ce pas d'ailleurs ce pour quoi elle adore garder les enfants des autres: pas tellement pour l'argent, que pour les livres?

Quels écrits, chez elle? Peu nombreux, assurément, surtout des poètes chrétiens qu'apprécie son père, comme Claudel et l'aérienne Marie Noël, ainsi qu'une série de romans en plusieurs tomes de Berthe Bernage, tout aussi croyante, les lectures de jeunesse de sa mère? L'ouvrage préféré de la jeune fille sérieuse n'a-t-il pas été, pendant très longtemps, *La Vie des saints Martyrs*, un bouquin de plus de cinq cents pages qu'elle a lu et relu, stupéfiée de l'effrayante variété des supplices?

Que lui a-t-on expliqué de la sexualité? Si ce n'est que sa mère lui a un peu parlé du sang, tous les mois? Mais l'amour? N'est-ce pas ce pour quoi elle adore garder les enfants des autres? Pour les livres? Ces livres-là? Cachés derrière les autres? Ou sur les étagères tout près du plafond? Ne s'est-elle pas nourrie des Henry Miller et du *Kâma sûtra*, du *Décaméron* et des *Mille et une nuits*, des *Onze mille verges* d'Apollinaire et des *Emmanuelle*? Est-ce que sa trouvaille la plus chère, son trésor, ce pour quoi et à partir de quoi elle a appris l'anglais, justement, ne s'intitule pas: *Arabia, The Craddle of Erotica*?

À seize ans moins une semaine, cette jeune fille sérieuse n'a-t-elle pas un plan? Élaboré toute une stratégie? Les jeunes filles les plus sages ne sont-elles pas aussi les plus rouées? Du reste, tout cela ne s'est-il pas manigancé sans beaucoup d'efforts? Tout d'abord, n'a-t-on pas réclamé ses services, vendredi en huit, à la maison *Craddle of Erotica*? Elle disposera donc de tout son temps, car ne sont-ils pas, ceux-là, un couple de féroces noctambules, qui ne reviennent toujours qu'à l'aube?

Le samedi précédent, dans l'après-midi, n'a-t-elle pas guetté ce William, devant chez lui? Quand il est sorti, n'a-t-elle pas glissé, dans la poche de son blouson McGill, un billet où étaient inscrits l'endroit, la date, et l'heure: pour faire l'amour? «Faire» n'était-il pas souligné?

Petite femelle éduquée par les mots des hommes, n'a-t-elle pas trop bien compris, dans le rituel de la séduction, l'importance attachée à l'accessoire? Le lundi, n'a-t-elle pas en effet supplié sa mère de lui acheter un soutien-gorge? Car il n'est pas question d'entamer, n'est-ce pas, ses économies à la banque? Mais pourquoi sa mère aurait-elle refusé? Celle-ci ne tente-t-elle pas, depuis quelques années, de convaincre son aînée d'en porter un? N'est-ce pas toutefois durant ces années-là aussi que les féministes étatsuniennes brûlaient les leurs? De toute façon, pourquoi la mère aurait-elle refusé quoi que ce soit à son aînée, si sage et si studieuse? Alors pourquoi ne pas lui prêter, sur-le-champ, sa précieuse carte Eaton, avec la permission de s'en servir à son goût?

Le mercredi après ses cours, la jeune fille sérieuse se procurait un bustier assorti d'une culotte minimale, un ensemble de dentelle crochetée couleur café, une teinte jugée plus appropriée que le noir: pourquoi pas? Ne serait-elle pas à même d'inventer quelque explication, si jamais sa mère? Ainsi que pour les préservatifs provenant d'une pharmacie inconnue, ne pourrait-elle prétendre en avoir eu besoin, pour une expérience en laboratoire de physique? Mais comment faire, pour les bas et jarretières? Pourquoi ne pas les emprunter au tiroir même de sa mère? Celle-ci ne s'en apercevrait guère, ce tiroir de lingerie n'est-il pas une soyeuse et inextricable jungle, l'infime faille dans l'impeccable ordre maternel?

Jeudi, inhabituellement distraite, en classe, elle soupesait toute la journée: peindrait-elle, ses lèvres en rouge saignant? Ne valait-il pas mieux ourler plutôt ses yeux de khôl?

C'est vendredi, est-ce enfin le moment? Les enfants sont-ils bien endormis? Elle a éteint toutes les lumières, allumé une douzaine de bougies, des lampions volés à l'église: pour une fois qu'assister à la messe ne se serait pas révélé complètement inutile? Elle s'inquiète: et si jamais William? Puis elle s'interroge: par quoi commencer? L'inviter à s'asseoir sur le canapé? Lui offrir un verre d'eau? Elle se décide finalement: pourquoi ne pas d'abord l'embrasser, pour ensuite laisser ses gestes s'enchaîner aux siens?

Sonnera-t-il enfin? N'éprouve-t-elle pas, tout à coup, sous ses naïves certitudes, une anxiété tout aussi forte? Dans cet état de grâce du coup de foudre, mesure-t-elle, soudain, l'abîme et la violence du désir? Elle avale une grande bolée d'air, se pince les joues, pour les rosir: à quoi s'attend-elle? Et plus encore?

Bon anniversaire, jeune fille sage et sérieuse. À partir de demain, pour toi. Tout comme pour nous désormais, plus que jamais. L'imaginaire est le plus actif aphrodisiaque.

Et le seul.

Deux jours en mai

René-Daniel Dubois

Photo: Jacques Grenier

René-Daniel Dubois

Comédien, scénariste et auteur de pièces de théâtre dont *Panique à Longueuil, Le printemps Monsieur Deslauriers, Anne est morte, Ne blâmez jamais les bédouins* et *Being at Home with Claude,* récemment adapté au cinéma.

J'avais? Dix-huit ans. Cela se passait en 1973, donc. Oui, ce doit être cela puisque l'année suivante je n'habitais plus chez mes grands-parents. Au printemps, puisqu'il y avait cette lumière dorée à laquelle nous n'avons droit qu'en mai. Près de la frontière nord du quartier Villeray, marquée par le boulevard Métropolitain. Sur la rue Clark, petite rue résidentielle, mémoire de ce qu'on croyait, tout de suite après la Seconde Guerre mondiale, pouvoir être la banlieue. Au deuxième étage, dans le salon, dans le trône du patriarche, gros fauteuil à oreilles tapissé d'arabesques d'or sur fond acajou qui occupait le coin de la pièce, près de la fenêtre donnant sur un érable immense.

Une chose me frappe soudain: c'est exactement à l'autre bout de ce logement-là que j'ai connu l'antipode, justement, du choc que je conte ici. Trois ans et demi plus tôt, Upper Outremont s'était mis à avoir très très peur et à être très très très fâché parce que pas même deux douzaines de gars et quelques filles en avaient eu plein le c... et avaient sauté à pieds joints dans les plats. Alors, Upper Outremont et ses

amis avaient envoyé l'armée. Rien de moins.
L'armée, que j'avais vue entrer en ville depuis le balcon qui se trouvait, oui, aux antipodes, dans ce petit
monde-là, du gros fauteuil brun et or. Y aurait-il une
géographie de l'apprentissage du monde? Sur le balcon d'où l'on voyait le boulevard Saint-Laurent,
j'avais découvert ce que l'on ressent la première fois
que l'on vous dit : « Je te méprise » en vous regardant
droit dans les yeux. Dans le fauteuil, j'allais comprendre jusqu'où peut mener la compassion. Depuis
le balcon, j'avais assisté au discours en action de
ceux qui ne croient qu'aux chiffres. Dans le salon, on
allait me murmurer un long chant, doux et tourmen-
té; après l'avoir entendu, plus jamais pétale de rose
ne serait le même. Vous y croyez, qu'un récit dans
lequel on nous décrit la nuit où meurt une vieille
femme enchaînée sous un arbre, la nuit où il pleuvra
des pétales de roses en souvenir d'elle, vous y
croyez, qu'un récit comme celui-là puisse être aussi
marquant que la course, un dimanche après-midi,
pendant une heure, de gros camions verts bourrés
de soldats en armes? Vous y croyez, qu'un livre
puisse peser autant que des milliers d'Onusiens en
devenir qui, quand ils sont au pays, oublient leur
casque bleu sur la patère et coiffent le vert, celui
avec des branches collées dessus? Vous y croyez,
qu'un garçon de dix-huit ans puisse être sauvé de la
rage et de l'envie de tuer par une foule d'anges gardiens soufflés en lui par un Colombien qu'il n'a
jamais rencontré? Moi, si. Ou plutôt : pour moi, la
question ne se pose pas; la réponse se vit.

Comment diable m'y étais-je pris pour me
réserver tout ce temps? Il y avait toujours du pain à

aller chercher chez Dominion, ou une tarte aux pommes à prix réduit, chez Steinberg; il y avait toujours la Corvette de mononk-qui-a-réussi-dans-la-vie à laver et à *Simonizer*, les flancs blancs à passer à la laine d'acier, pour très exactement cinquante cents quand il avait de la monnaie; «Va donc chercher des cigarettes à grand-papa, à place de perdre ton temps. La lecture, ça peut attendre»; il y avait les fenêtres à laver, le mobilier Louis XIV à cirer; les piles de vieux papiers à classer, au sous-sol. Jalons de la mémoire financière du clan. Pourquoi est-ce que je n'entends pas un son, dans la maison? Pas de CFGL venant de la radio de la chambre à coucher? Ah: les grands-parents devaient être partis chez la ma-tante-des-États.

Je me vois entrer dans la pièce. Je l'ai à la main. Un livre de poche. Je n'en vois plus les couleurs. Avant, il y avait eu les lectures obligées: Claire Martin, au secondaire; Van Gogh, Platon, Lovecraft et Éluard au cégep. Je garde l'impression que, ce jour-là, je vais lire pour la première fois de mon propre chef. Pourquoi le souvenir des préliminaires est-il si incroyablement clair? Je me vois traverser la pièce en direction du fauteuil. Le haut calorifère, sous la fenêtre. Le pouf recouvert de babiche, dont je corrige la position. Je sens le haut dossier du fauteuil, contre lequel je m'appuie. Le souffle léger du vent, qui soulève le voilage blanc de la fenêtre. Il y a la pénombre fraîche dans la maison. Et l'éblouissement, dehors. Des cris d'enfants qui jouent.

Et puis. Il y a la première phrase. «Le jour où il allait être fusillé, bien des années plus tard, le capitaine José Aureliano Buendia se souviendrait de

cette scène. » (Je cite de mémoire, vingt ans plus
tard. J'ai dû prêter mon exemplaire et, comme la
moitié de la bibliothèque que j'aurais si j'étais plus
regardant, il ne m'est jamais revenu.) Je venais de
commencer à lire *Cent Ans de solitude*. Je ne sais
plus qui avait pu me le conseiller. Qu'elle ou il en
soit éternellement remercié. J'entrais derrière une
tapisserie où jamais personne ne m'avait dit qu'il y
aurait autre chose qu'un mur blanc, que du vide. J'y
découvrais les prières qui donnent sa vie à ce côté-
ci du monde. Je découvrais des gens qui décou-
vraient la glace. J'entendais parler de destin et de
communauté. J'entendais les chants de la mémoire.
On m'apprenait à déchiffrer de vieilles cartes à
l'aide desquelles comprendre la folie. Je ne ressorti-
rais pas de là comme, des années plus tard, je suis,
par exemple, ressorti du *Seigneur des anneaux*, lu en
une fin de semaine, déçu que les humains n'aient
pas de poil sur les pieds. D'ailleurs, de *Cent Ans de
solitude*, je crois que je ne suis jamais ressorti. Je
suis resté prisonnier volontaire derrière la tenture.
Là où l'on refuse que les êtres et les objets soient
vides. Là où l'«espoir», n'étant pas synonyme
d'«illusion», reste palpable. Là où l'on n'a pas de
solutions parfaites à présenter comme autant d'évi-
dences, qui n'auront l'inconvénient que de vous
coûter votre âme. Là où rien ne disparaît de ce qui
fait le poids des choses, leur lumière, leur brûlure
parfois, leur caresse parfois.

Quatorze ans plus tard, en mai, à Caracas,
j'assiste à une soirée dans le quartier Las Mercedes.
J'en passe la plus grande partie sur la terrasse, à
contempler la ville qui scintille au fond de la vallée.

Quand ne reste plus qu'un groupe de vieux amis, dont celui qui m'a amené là, ils passent au français, par courtoisie. L'hôtesse me dit qu'elle est Colombienne. Je fais: «Ah! Garcia Marquez!» Elle sourit. Se lève en faisant signe aux autres de ne pas lui voler l'effet de la surprise qu'elle me prépare. Quitte la pièce. Revient avec un livre et un petit cadre. Elle me tend le cadre d'abord, une photo: «Vous voyez, à Paris. (En 1957?) Gabriel et moi. Il avait commencé à l'écrire.» Alors, elle me tend le livre. J'ouvre. *Cien años de soledad.* «Le premier exemplaire», dit-elle. Sur la page de garde, une dédicace manuscrite: le nom de notre hôtesse. Elle dit: «Allez voir à qui le roman est dédié.» Je tourne. Quelques mots imprimés: le même nom de nouveau, celui de cette femme. J'ai dû devenir très pâle. Ce n'est pas que je sois fétichiste, pas du tout. Pourtant, je ne saurai jamais comment j'ai pu m'empêcher d'éclater en sanglots. Peut-être aurais-je dû. Parce qu'alors, en ne luttant pas contre le tremblement de terre, j'aurais au moins pu laisser sortir les mots qui me brûlaient et que j'ai gardés jusqu'à ce jour: «Dites-lui, dites... Quand vous le verrez, dites... dites-lui merci.»

Un singe à Moscou

David Homel

Photo: Jacques Grenier

David Homel

Né à Chicago en 1952. Traducteur, enseignant et écrivain, il a publié deux romans: *Orages électriques* (Boréal, 1991) et *Il pleut des rats* (Leméac/Actes Sud, 1992) et en termine un troisième, dont ce texte est un extrait traduit de l'anglais par Charlotte Melançon.

Jack Gesser et Sonja Snitkina s'étaient juré d'aimer Moscou. En cette fin d'hiver 1933, cela n'allait pas de soi. Depuis leur départ de New York, Sonja, serrée contre son oreiller, avait passé la traversée à regarder le va-et-vient de l'eau dans son pichet, modèle réduit de ce que l'Atlantique faisait dehors. Le cargo qui les transporta ensuite de Southampton à Leningrad empestait le hareng mariné dans le mazout. Dans le port de Leningrad, d'inquiétants blocs de glace heurtèrent la vedette lors du débarquement, lequel se fit au milieu de la nuit. L'Ermitage, la cathédrale Saint-Pierre et Saint-Paul, tous les trésors que la Russie avait modelés sur l'architecture italienne étaient comme des ombres dans la nuit industrielle. Quant au voyage en train, il confirma ce que Gesser, qui parlait la langue du pays, savait déjà: il n'y a pas en russe de mot pour dire «vie privée».

À Moscou, dans leur chambre d'hôtel, Jack Gesser posa leur valise par terre.

— On a de la chance d'être arrivés, lui dit-il.

Sonja lui répondit en laissant simplement échapper un filet de buée qui alla se perdre au plafond où l'on avait jadis suspendu un lustre.

— D'avoir trouvé une chambre, reprit-il.

Il l'attira ensuite près de lui et paraphrasa les saintes Écritures: «Quand ils reposeront tous deux ensemble, ils n'auront plus froid.»

Jack s'agenouilla devant elle et lui retira promptement ses bottes. À l'extérieur de leur chambre, dans le couloir, un poêle à charbon ronflait et rougeoyait, réchauffant le passage communautaire et assurant une ration de chaleur à tous ceux qui consentaient à laisser leur porte ouverte. Ce qui n'était pas le cas de Sonja et de Gesser.

Sous les couvertures glacées ils s'embrassèrent. Sonja avait un vague goût de métal dans la bouche, comme si le paquebot, le cargo et le train qu'ils avaient pris pour venir jusqu'à cette chambre lui avaient laissé l'un après l'autre une odeur qu'elle exhalait à présent dans les sursauts de sa passion ravivée.

— Il faudrait faire attention, murmura-t-il.

— Faire attention?

Elle suivit son regard. Le mur n'atteignait pas le plafond. Il manquait quelques planches à leur intimité.

— Faire attention? Pas moi, mon cher époux.

Dans la pâle lumière de cette fin d'après-midi d'hiver, ils se risquèrent à sortir de leur hôtel et prirent la rue Hertzina. Hertzina — qui voulait dire «la rue du cœur» — était l'un des rares vestiges de sentimentalité de la capitale puisque cette rue portait le nom du fils naturel de quelque noble. Étonnant qu'après la Révolution personne n'eût songé à le changer. Mais si le nom survivait, c'était seulement parce qu'il venait de l'allemand, langue que personne ne comprenait.

Sur un square minuscule, tout enneigé, ils tombèrent sur la statue de Gogol. Avec une pelle en bois un travailleur traçait un sentier dans la neige jusqu'au socle de la statue.

Jack et Sonja suivirent le sentier et passèrent devant le pelleteur qui leur lança un regard furieux parce qu'ils avaient traîné de la neige dans le passage qu'il venait de déblayer. Le pelleteur ne semblait avoir aucune idée de ce que représentait la grande masse de bronze coulée dans cette forme humaine. Jack et Sonja s'arrêtèrent devant la statue et contemplèrent les traits forts, le front héroïque et ridé de Gogol.

— Peux-tu imaginer qu'à Chicago on érige un monument à un écrivain? demanda Sonja. Impensable!

— Je vois ça d'ici: une statue d'Upton Sinclair dans une cour d'usine. Aucun risque! Ici, au moins, on respecte la culture.

Ils firent le tour du monument. Sur le socle de granit on avait sculpté en bas-relief des personnages provenant des récits, des pièces de théâtre de Gogol. Gesser y reconnut l'inspecteur général, Tarass Boulba, quelques propriétaires d'autrefois, un ou deux gnomes du folklore, des Cosaques, des personnages des contes villageois, et plusieurs membres féminins, comiques et superfétatoires, de la vieille bourgeoisie, qui s'étaient désormais pliés à un nouveau genre de vie ou exilés à perpétuité.

— Il manque quelqu'un, fit remarquer Gesser en adoptant une pose théâtrale. «Monsieur, sauvons la lune, parce que la terre essaie de s'asseoir dessus.»

— C'est de Gogol?

— Le Fou en personne, du *Journal d'un fou*. Je ne l'aperçois nulle part.

Gesser se prit la tête dans les mains comme s'il agonisait, contrefaisant le fou qui croyait qu'on lui avait rasé le crâne pour le transformer en ecclésiastique.

— Peuh! dit Sonja, ne te demande pas pourquoi il n'est pas là. Si tu bâtissais une société nouvelle, que ferais-tu de ce vieux fou, même s'il dit vrai?

— Tu as sans doute raison. N'empêche que j'ai déjà appris par cœur presque toute la pièce. C'est une honte, il me semble, de gaspiller tout ce savoir.

Ils s'engagèrent dans la rue Hertzina, bordée de chaque côté par les façades gracieuses du Moscou baroque. Piliers, chérubins, arabesques, c'était tout le panache italien fait pierre et peint des couleurs les plus étonnantes pour une ville nordique: sienne pâle, saumon, ce bleu des œufs de merle. Entre le trottoir et la rue se dressaient d'énormes congères, ce qui était préférable étant donné que la rue ruisselait d'eau boueuse.

La rue s'ouvrit ensuite tout à coup et ils débouchèrent sur l'immensité de la place Rouge qui paraissait d'autant plus vaste qu'on venait d'en déblayer entièrement et impeccablement la neige. Le village natal de Gesser aurait pu y tenir. Face à tout cet espace, Jack et Sonja se serrèrent l'un contre l'autre.

Le vent se leva, précurseur du froid de la nuit. Alors qu'ils regardaient, au centre de la place, le drapeau rouge de l'Union soviétique s'éleva puis battit au vent.

— C'est comme se trouver au centre d'une idée, s'exclama Gesser.

— C'est trop grand, j'ai l'impression d'avoir bu.

Ils s'embrassèrent même si leurs lèvres gercées leur faisaient mal, car qui peut résister à un baiser devant un spectacle aussi grandiose et inhumain ?

Plus tard, néanmoins, ils éprouvèrent du soulagement à se promener dans la perspective Kouznetsky parce qu'elle leur rappelait les rues de la Dépression qu'ils avaient laissées derrière eux, en Amérique. Il y avait les mêmes étalages et les mêmes kiosques que là-bas, et pourtant ce n'était pas tout à fait pareil. Ici, la rue donnait une impression d'ordre, de dignité et de patience. Personne ne sautait sur un chou à moitié gelé tombé d'une charrette, il n'y avait pas de familles jetées sur le pavé, assises, effarées, sur leurs bagages, personne ne trimbalait d'affiche écrite en lettres grossières pour réclamer du travail. Ici, c'était ce que croyaient Jack et Sonja, tout le monde travaillait et avait une raison de travailler. Il y avait, bien sûr, des privations mais, partagées équitablement, elles semblaient plus supportables.

Le long de la rue, à côté d'une femme qui vendait des graines de tournesol à même une poche de jute couverte d'un léger duvet de neige, il y avait des musiciens. Un trompettiste, un accordéoniste et un homme qui jouait d'une petite guitare ronde. Un chanteur aussi, qui semblait avoir du verre pilé dans la gorge. Dans cette rue si pauvre, le chapeau du chanteur était rempli de kopecks.

De la foule se détacha un homme sans gants qui gardait ses mains à l'intérieur des manches de son manteau, question de les protéger du froid. Mais quelque chose dépassait de ses manches. Un poisson séché et fumé, nourriture pratique, car il n'exigeait aucune réfrigération. Mû par la musique, l'homme tournoyait maladroitement, massif lourd, un homme des sentiments faciles qui n'avait que ces pas d'ours pour exprimer ses souffrances.

«Respectez-moi! cria-t-il à la foule impassive, qui avait déjà tout vu. «Je suis un *partizan*, un vétéran de la guerre civile! C'est grâce à moi que nous avons pu protéger la Révolution!»

Et l'homme dansa sur le trottoir devant la troupe de musiciens. Son poisson dansa avec lui, non pas que ce dernier eût le choix, car les globules blancs et desséchés qui tenaient place d'yeux montraient qu'il avait perdu sa volonté depuis longtemps. Le poisson ne fut mû par rien, à part la danse ivre de son propriétaire. En sa qualité d'ivrogne, tout lui était pardonné parce que, selon les Russes, les ivrognes vivent en état de grâce, comme les petits enfants. Jack et Sonja regardèrent l'homme qui tournait et son poisson qui l'imitait, et les musiciens augmentèrent la cadence de leur musique langoureuse et sentimentale à fendre les pierres. Les pièces pleuvaient dans le chapeau du chanteur. Sonja ne comprenait pas les paroles, mais cela rendait la chanson plus douce encore.

Quand la sentimentalité devint trop riche pour ce peuple d'endurance, le guitariste joua un dernier accord, puis garda son instrument levé dans les airs pour signaler la fin du morceau. Un petit cri émana des lèvres de Sonja: les doigts du musicien saignèrent abondamment. La fierté luisait dans les yeux du guitariste; telle est ma dévotion à mon art, disaient ses doigts meurtris.

Près du kiosque suivant, une femme vêtue d'une imposante veste de peau de mouton se balançait comme un Juif pieux en prière. Sous son menton, une autre face sortait de la fourrure, les yeux anormalement sages, comme ceux d'un enfant tout ratatiné dans ses langes.

— Achetez mon singe, dit-elle à Jack et à Sonja.

— Qu'il est joli! s'exclama Sonja. On dirait une petite personne. Comme j'aimerais l'avoir!

— Les singes sont à notre image et à notre ressemblance, lui dit Jack.

— Achetez mon singe, leur ordonna la vendeuse.

— C'est cher, j'imagine? lui demanda Jack.

— Les singes ne poussent pas aux arbres.

— Qu'est-ce qu'il mange?

— La même chose que vous. Mais un peu moins.

— D'où vient-il?

— De la jungle.

— Je m'en doutais, dit Jack.

— Un jour, un diplomate africain est venu ici, et puis, vous savez, les choses changent, et on a décidé dans son pays qu'on n'avait plus besoin de lui. S'il rentrait, on lui…, poursuivit la femme en faisant le geste de se trancher la gorge. Il a donc pris la bonne décision. Il est resté, mais le singe, lui, doit s'en aller. La vendeuse contempla son petit primate réfugié. C'est un singe diplomatique, voilà pourquoi il est si bien élevé.

— Il faut le prendre, plaida Sonja.

— Un singe, quand nous n'avons même pas de coin à nous? lui demanda Jack.

Conscient peut-être que son destin se jouait, le singe tendit la patte comme pour leur serrer la main. Il les regarda avec intelligence, mais il y avait une sorte d'inquiétude dans son regard comme s'il ne pouvait pas comprendre pourquoi il faisait si froid dehors et comment il se faisait qu'il se trouvait ainsi emmailloté dans une peau de mouton et mis en vente. Et cet air égaré de ses yeux lui donnait quelque chose de triste et de sage qui le rendait ir-résistible.

Jack fouilla dans sa poche pour prendre de l'argent. Après tout, ne venait-il pas de dire que les singes étaient à notre image et à notre ressem-blance ?

Sous le ciel de Naples

Robert Lalonde

Photo: Jacques Grenier

Robert Lalonde

Comédien et romancier, il a entre autres publié *Le dernier été des Indiens*, *Le fou du père*, *L'ogre de grands remous* et *Sept lacs plus au Nord* publiés aux Éditions du Seuil.

J'avais seize ans, l'âge des grandes confusions, charnelles et métaphysiques, l'âge du désir et de l'empêchement. Avril rajeunissait le monde et me mettait une absurde confiance au cœur, malgré une vague *Versification*, que j'achevais de peine et de misère, dans un collège planté en pleine nature, comme par enchantement. J'existais passionnément, entouré de fantômes de mon âge, au milieu desquels je me sentais plus seul que dans une forêt sans chemin. Et pourtant, nous parlions, nous jouions, nous n'arrêtions pas de nous frôler et de nous apostropher, mais comme de jeunes prisonniers à qui leurs murailles interdisaient l'amitié sincère et la révélation d'eux-mêmes. «Je vous parle d'un temps que les moins de vingt ans ne peuvent pas connaître», une époque ardente et troublée, ni plus ni moins idéale qu'une autre, mais qui paraissait à cheval entre la fin d'un monde et le commencement d'un autre. Disons simplement: 1964.

Sous la chapelle, dans une espèce de crypte qui sentait le vieux cierge pascal et le livre moisi, il y avait ce que nous appelions un théâtre, c'est-à-dire des rangées de bancs de bois sagement alignés et, devant eux, à la place du maître-autel à l'étage au-dessus, une scène, ou du moins une élévation. (Notre metteur en scène disait: « un tréteau », et je souriais, l'air ahuri, car j'imaginais quelque chose comme une hybride de têtard et de poteau, sans vraiment m'inquiéter: le théâtre me semblait capable de mener aux plus magnifiques monstruosités, y compris celles dont je rêvais confusément, et qui auraient fait blêmir Shakespeare.)

Je n'étais pas encore entré dans la peau de mon personnage. Je jouais Scapin, dans les fameuses *Fourberies*. Les répétitions m'avaient agréablement occupé, jusque-là, mais distraitement: je faisais tout avec la nonchalance de celui pour qui la vie est un songe moins vrai que ses rêves. Il y avait, au fond du décor, un drap tendu, éclairé d'orange, puis de bleu, figurant le jour qui se lève sur le port de Naples. C'était lui, c'était ce ciel-là — imitant bien pauvrement un lever du jour faste et flamboyant, italien à souhait — qui serait le firmament de la naissance de mon étoile, pour parler comme les petits journaux. Pour l'instant, je ne me doutais de rien, et grimpai sur mon « tréteau » rejoindre Octave et Léandre qui m'attendaient, la mine réjouie, pas tout à fait à l'unisson d'un dépit amoureux que ni l'un ni l'autre des deux collégiens-acteurs n'avaient davantage réussi que moi, ma fourberie, à mimer convenablement encore.

Par le soupirail ouvert, nous parvenaient les piaillements des merles et les cris des joueurs de « Drapeau », dans la cour. La répétition générale commença mollement, et je pris place sur le plancher de scène, me couchai, sous mon ciel d'aurore, une jambe à la vue du futur public, en bon trouble-fête napolitain qui roupille, en attendant à la fois sa première réplique et l'occasion de faire un de ces mauvais coups, pour lesquels notre auteur l'avait à moitié inventé. J'écoutai distraitement — mais pourquoi diable distraitement ? N'étais-je pas censé avoir le trac ? Nous commencions à jouer le soir même ! — les jérémiades de mes deux amoureux désespérés, tout en fixant, d'un œil à peine entrouvert (je devais dormir, et même ronfler très audiblement !), mon firmament italien qui commença alors à se teinter de l'orangé approximatif de l'aube, avec des soubresauts très peu cosmologiques.

Et c'est alors qu'une espèce d'évanouissement effrayant m'envoya en orbite je ne sais où, sans doute en direction des étoiles pâlissantes, sur le drap azuré au-dessus de moi. D'abord, je sentis s'engourdir mes mollets et mes bras, que n'avaient pas récemment tyrannisés pourtant ni le ballon-panier ni le hockey, et qui se vidèrent de leurs nerfs aussi sûrement que mon esprit de la moindre idée de ce que je pouvais bien foutre là, sur une scène, à faire semblant d'être le diable en personne (!), moi qui n'avais, de mon Scapin-pète-le-feu, ni le bagout ni surtout la belle énergie de fripon, et qui plus est me sentais m'en aller, comme un enfant de chœur qui va perdre connaissance, avant le commencement de la première messe basse. Octave et Léandre approchaient, le ciel au-dessus de moi rosissait et pâlissait dangereusement, et j'eus l'épouvantable certitude que je ne serais bientôt plus assez vivant, sur mon quai du port de Naples, pour avoir la force de me lever en polichinelle ratoureux et de changer, par une impossible fourberie, le destin de mes deux amoureux sans dessein.

Statufié dans une raideur de cadavre, je fixais béatement mon faux ciel italien, comme si j'attendais de son bleu azuré et de son rose d'Immaculée Conception qu'ils me débarrassent de cette langueur mortelle qui me paralysait, et qui peut se comparer — je l'appris peu de temps après — à l'ahurissement effrayant qu'on éprouve en face du premier être trop beau pour nous que l'enfer nous envoie. À partir d'ici, je sais qu'il me faudrait posséder le talent de l'auteur de *À la recherche du temps perdu*, pour réussir à donner une idée du séisme, peu ordinaire et déjà «psychédélique», qui m'emporta dans son orbe une petite éternité, me fit oublier mes ronflements et ma première réplique, et décida du chemin qu'allait prendre, et pour longtemps, ma petite existence, jusque-là errante et peu troublée par un avenir qu'elle n'osait pas même imaginer. Je n'étais pas seulement sorti de moi, j'avais tout à coup une espèce d'âme — fleuve où fuyaient, comme autant de courants et de bancs de poissons, des images, des émotions et des sensations qui ne m'appartenaient pas plus que le costume que j'avais sur le dos, et qui me traversèrent impitoyablement, en me chargeant d'une force que non seulement je n'avais jamais connue, mais qu'il me semblait que je n'étais pas venu au monde pour connaître. Je voyageais impunément dans ce que, le lendemain, un de mes brillants confrères s'empressa de nommer «l'inconscient collectif», et sur lequel il tenta de me renseigner, avec des métaphores plus stupéfiantes encore que la description d'un voyage au LSD par un étourdi qui n'en est jamais revenu.

Aujourd'hui, et sans doute de peur que cette magie-là ne s'épuise si elle est expliquée, je ne sais toujours pas exactement ce qui m'est arrivé, sous mon ciel napolitain, devant une douzaine de rangées de bancs vides, et sous le regard abasourdi d'un Léandre saisi d'un fou rire, en me voyant transfiguré, et celui, furibond, d'un Octave fâché d'avoir raté son entrée. Je devine que ça a quelque chose à voir avec une espèce de Chemin de Damas pour collégien qui avait bien failli enterrer son talent, ou quelque chose comme ça. Il paraît que Scapin fut tout à fait irrésistible, magicien ratoureux presque parfait, cet après-midi-là, sans que je me sois aperçu de rien. Le soir bien sûr, il fut bredouillant et se cassa la voix avant la scène du sac. (C'est sans doute ce que les Anglais appellent *poetic justice*). Mais le bonheur tremblant et irraisonnable qui m'avait pris, l'après-midi, durait encore, en un endroit de moi que ni le Sacré-Cœur, ni les livres, ni même mes maladroites amours n'avaient encore touché «avec précision», comme dirait le philosophe.

J'avais été ailleurs, là où Rimbaud dit qu'est la vraie vie, et j'y avais séjourné assez longtemps pour sentir mon existence augmenter et mes désirs rejoindre l'estuaire où sont charroyés les espérances des hommes, leurs misères et leur épouvantable souhait de ne jamais mourir. J'étais prêt à tout pour retrouver ce beau néant fécond auquel je ne comprenais rien, mais qui m'emportait. J'étais même disposé à travailler, moi qui étais né pour mener une existence éblouie de cactus qui ne se nourrit que de lumière, oublié sur le bord d'une fenêtre. Et il y a des soirs où le rideau se lève encore sur la lumière d'un matin napolitain insurpassable, dont je ne connaîtrai jamais la source, et qui me fait tout faire avec un courage que je sais pourtant n'avoir jamais possédé.

La tentation du réalisme

Micheline Lanctôt

Photo: Paul-Émile Rioux

Micheline Lanctôt

Elle a d'abord laissé sa marque comme comédienne, entre autres dans *La vrai nature de Bernadette*, *L'affaire Coffin*, *Ti-Cul Tougas* au cinéma et dans le rôle d'une féministe en mal d'amour dans la série télévisé *Jamais deux sans toi*. Elle est aussi passé derrière la caméra pour réaliser *La poursuite du bonheur*, les longs métrages *L'homme à tous faire* et *Sonatine* (Lion d'or au festival de Venise en 1984).

Les petits enfants n'ont pas que de grandes attentes. Ils ont aussi de grands sentiments. Les plus grands. Il faut bien compenser quelque part pour la vue perpétuelle en contre-plongée. Les plus grandes amours, les chagrins les plus inconsolables finiront toutefois par s'user au frottement des petits riens et la trivialité mettra partout sa morne patine d'anecdote. Parfois le souvenir des grandes passions, fécondé par le claquement d'une robe blanche, fait naître au déclin du jour une tristesse envahissante que la toponymie sonore d'un nom de village attise doucement. C'est là qu'on se trouve de passage, plein de fièvres éteintes et sifflant comme un air d'opéra des réminiscences aux cadences fades.

Cette dame était assise mollement dans la tiédeur du soir. À Caiscais. Elle songeait. Depuis l'intérieur du café, des odeurs de grillade et de cabri bien frais venaient flotter sur la terrasse, corsées par l'air salin. Son chapeau était devant elle, comme une chose morte qui inspire la mélancolie. On aurait dit un point d'orgue. Tout chez elle était suspendu.

Le corps n'était pas seul usé par les années. Elle semblait n'avoir de vigueur que dans l'immobilité.

Là, ce soir, à cause du paysage mordoré, de la chaleur, de la rumeur gutturale des clients attablés comme elle l'était pour un souper à la fraîche, des diphtongues imprononçables sur les panneaux et les enseignes, d'un pied fauve chaussé d'une sandale, de la solitude aussi et de la difficulté qu'elle avait toujours éprouvée à être dans le mouvement des choses et de la vie, apeurée sans doute par la turbulence mais surtout, il me semble, déçue par la vie adulte, sur son quant-à-soi, méfiante, voire hostile, voilà qu'elle s'était livrée au souvenir comme on s'adonne au jeu jusqu'à la nuit, avant d'éprouver comme toujours devant la noirceur imminente le sentiment de mourir la gorge nouée.

C'est à ce moment-là que je la remarquai. Ses doigts difformes voletaient au-dessus de l'assiette qu'elle avait à peine touchée. Dans son visage fripé qui faisait non-non-non-non-non, un peu comme ces chiens articulés qu'on trouve parfois chez nous gardant la lunette arrière des voitures, ses yeux étaient ouverts sur quelque chose de mystérieux et de transparent néanmoins : un reflux du passé. Derrière son masque atone de vieille dame, je pouvais voir la petite fille, son toupet impertinent, sa bouche ouverte et son menton frissonnant tendu vers le personnage qui entrait dans la classe. Il s'appelait Joao Domingo Fernandez et ne pouvait certainement pas savoir, si jeune et beau comme on les voit tous à cet âge, qu'il venait de saisir le cœur de la fillette et qu'elle avait porté ses mains à sa poitrine pour le remettre en marche ou faire en sorte qu'il ne s'échappe pas rouge et bondissant à travers les jambes des autres élèves pour aller se perdre dans les plis feutrés de la soutane blanche. Quel démon, celui de l'enfance impuissante qui s'impatiente et se mutine, l'avait poussée vers ce chaste dominicain, après la classe, qui restait à causer vocation avec la religieuse, leurs deux grands corps un poème en noir et blanc contre l'ardoise du tableau. Quel sortilège ancien avait libéré la petite fille de son corps disgracieux, ridicule, trop gros, pas assez grand, trop compact dans lequel ce cœur si voluptueux, si rouge, si plein de sang avait pris toute la place, un peu comme celui du Sacré-Cœur au deuxième étage. Un cœur immense et palpitant qui battait, battait en rugissant comme une chose sauvage menaçant à tout instant de s'éjecter par la bouche et de faire cesser la vie ordinaire, celle des humiliations et de l'impuissance, celle de onze ans, celle des tuniques trop courtes et des joues trop rondes, celle des couvre-feux et des remontrances, des cahiers tachés d'encre et des quolibets jaloux, des innombrables vexations enfantines.

Quand la cloche avait sonné et que les autres s'étaient aussitôt élancées dans la cour en piaillant comme des oisons querelleurs, qui diable lui avait donné l'aplomb d'une dame du monde pour qu'elle l'invite à dîner à la maison, elle d'ordinaire si quelconque et rougissante. Pour le montrer, bien sûr, et pour lui donner à manger. Il venait du Portugal, un pays pauvre. Elle avait mis sa main dans la grande main basanée aux doigts un peu flânants. Elle avait marché sur la rue avec lui, bombant le torse qu'elle avait assez plat, mesurant son pas au sien. Elle ne

manquait pas de conversation, même si l'extrême
bonheur de sa présence la portait au silence. Un
silence assourdissant. Elle écoutait sa curieuse
façon de chuinter sur les *S*, et ses intonations nasil-
lardes la ravissaient. Son chapelet de bois lui cha-
touillait les mollets quand par hasard, déboussolée
par l'extase, elle allait se heurter doucement contre
la bure immaculée, comme un flotteur largué que le
clapotis des vagues repousse contre le quai.

Il parlait de tout, de rien, de ce qui peut amuser
une enfant de onze ans, sans mesurer ni l'extrême
injure qu'il lui faisait par la condescendance de ses
propos, ni les transports que procurait à la petite
fille son odeur de mâle suintant à travers les pans
de sa tunique noire. Le nez en l'air à cause de sa
haute taille d'homme, elle recevait comme un sacre-
ment son enthousiasme naïf et vibrait comme de
grandes orgues à son accent chantant. Parfois,
fasciné par la fine soie des cheveux, sa main d'une
grande bienveillance, celle-là même qui bénissait les
païens d'Afrique où il exerçait son ministère, cares-
sait sa tête blonde. Et alors c'est le grand cœur
rouge qui s'élançait de nouveau comme un fauve
qu'on agace dans sa cage, butant rageusement contre les limites de la poitrine à peine formée sous le
jumper d'uniforme. Elle avait souhaité en le voyant
assis au salon, les jambes croisées sous la soutane,
les orteils nus longs et articulés, le ceindre de ses
bras comme elle le faisait avec sa chatte, qui détes-
tait ça. Lui caresser les oreilles et lécher sa tonsure.
L'entourer d'une forteresse d'amour, le protéger du
monde laid et des religieuses pâmées qui récla-
maient ses bénédictions avec des bouches rondes.

Son existence tout entière n'était plus qu'un pro-
longement de sa terrible passion. Petite par la taille,
elle était géante par le sentiment. Elle étouffait
d'ailleurs dans son corset de chair difforme et ne
voulait plus exister que dans la pureté de l'amour.

Et pourquoi l'aurait-il contemplée soudain, cet
être magnifique, cet homme en robe blanche et de
haute stature, ce père, comme s'il en voulait davantage? L'avait-elle séduit, petite enjôleuse de onze
ans aux charmes interdits? Dans le silence qui avait
suivi les regards enlacés il lui avait souri, un sourire
triste et navré. Un sourire de promesses impossi-
bles à tenir, un sourire de courage qui fuit, d'imaginer le meilleur avant de se résoudre au pire.

Ce fut sa première expérience de renoncement.

J'étais persuadée qu'elle se lèverait, la vieille,
comme elle l'avait toujours fait, par esprit de sacri-
fice, et qu'elle allait se mettre à genoux pour donner
le change. La piété console. Le garçon de café assis
sur un muret comptait ses pourboires. L'épaisse
noirceur atlantique ne parvenait pas à engloutir
l'éclat des loupiotes suspendues autour de la terrasse. Dans les reliefs jaunis de son visage, la dame
hébergeait encore des trésors de patience et ses
yeux comme deux vieilles lampes trouaient avec
peine l'opacité de la nuit. Elle avait souri. En évo-
quant peut-être l'immensité de son effronterie, son
désespoir. Qu'elles sont indicibles, ces souffrances
de fillettes qu'on ne prend pas au sérieux. Sans crier
gare, en murmurant « mon père » comme on le lui
avait enseigné, elle était allée s'asseoir sur ses genoux dominicains, moitié fidèle et moitié pénitente,
repentante déjà pour des péchés jamais commis,

n'importe quoi pourvu qu'elle se repaisse de sa chair d'homme beau, mais emprisonné par le sacerdoce, pourvu qu'elle affronte sa virilité portugaise avec le loisir de confesser n'importe quoi. Parce qu'à son âge, on ne sait faire que ça, n'importe quoi. Durcir sa résolution. Enfourcher son ministère.

Mais je déraille. La dame que j'ai en face de moi n'a pas vécu de la sorte, mais aimé, oui. Parce qu'elle a été petite. Parce qu'elle sait ce que c'est que de mourir à onze ans. Qu'il n'y a plus d'espoir lorsque tout passe dans l'ordre du souvenir, car la mémoire ne fait pas revivre, mais mourir encore une fois, plus cruellement, savez-vous, car elle enterre avec les événements, comme on le faisait pour les armes du roi Viking, la démesure et l'insolence.

Alors, je l'ai regardée mourir une deuxième fois, la lueur se retirer de ses pupilles laiteuses, le cœur spacieux rétrécir aux lavages répétés du temps, le souvenir se dissiper, le silence et l'immobilité se poser sur elle comme deux anges funestes. Je l'ai regardée enfiler son habit de vieillesse et d'hébétude, oublier jusqu'au tumulte de la soutane blanche et le tintement du chapelet, se retirer au fond d'elle-même sans qu'on la voie partir, timide maintenant, un peu bébête, dodelinant du chef et les mains tremblotantes. Voûtée par l'insignifiance. Chienne de sérénité.

Noir désir

Stanley Péan

Photo: J. Nadeau

Stanley Péan

Né à Port-au-Prince, élevé à Jonquière, il vit présentement à Québec. Il a fait paraître des récits fantastiques dans plusieurs revues québécoises et européennes. De plus, il est l'auteur de deux recueils de nouvelles, *La plage des songes* (CIDIHCA, 1988) et *Sombres allées* (CIDIHCA, 1993), d'un roman, *Le tumulte de mon sang* (Québec / Amérique, 1991) et d'un roman jeunesse, *L'emprise de la nuit* (La Courte Échelle, 1993).

Que t'est le bouclier de tes seins
Quand ma flèche t'abat comme un vautour

JACQUES LENOIR

Mariana n'aurait su dire qui, des rêves ou de la fièvre, l'avait d'abord possédée. Mais une fois leur régime institué, elle comprit vite qu'elle ne connaîtrait de répit qu'après avoir enchaîné le cœur, le corps et l'âme de Petit-Pierre.

Elle croyait ne l'avoir jamais rencontré avant cette pendaison de crémaillère chez Antonin et Francisco, deux amis gais. En lui tendant une coupe de punch, Petit-Pierre avait prétendu qu'au contraire ils se croisaient souvent, au dépanneur, à la buanderie du coin, à des cinq-à-sept. Mariana n'en gardait toutefois aucun souvenir. Il faut dire que rien chez le jeune homme ne justifiait qu'on le remarquât dans une foule. Pourtant...

Elle avait passé la soirée à guetter ses faits et gestes à la dérobée. À califourchon sur un tabouret, elle dodelinait de la tête en cadence sur un air de bossa-nova, s'efforçant d'affecter un air détaché, mais épongeant sans cesse ses paumes moites sur ses cuisses. À n'y rien comprendre. La voilà qui redevenait pucelle timorée à l'instant des premiers émois — elle qui n'avait pas l'habitude de se sentir intimidée par un mec qui lui plaisait, loin de là.

Prise d'une inexplicable nausée (dix jours avant *La Semaine rouge*?), elle avait quitté le party précipitamment, prenant à peine le temps de saluer au passage ses hôtes. Elle était rentrée à pied, espérant que le calme de Québec-by-night dissiperait son vertige. À peine s'était-elle glissée sous ses draps de satin, que le malaise l'avait reprise de plus belle et, en songe, Petit-Pierre avait vite fait de la rejoindre.

Cette nuit-là et celles qui suivirent, Mariana rêva de baisers incendiaires, de fougueux enlacements et de savantes caresses à des endroits où depuis trop longtemps seules ses propres mains s'aventuraient.

Au bout de quelques jours, en femme de son temps, Mariana alla confesser à sa psychanalyste les détails du film XXX que lui projetait son subconscient toutes les nuits depuis la rencontre avec Petit-Pierre. La psy en conclut qu'elle était amoureuse, tout simplement. Les honoraires pour ce diagnostic expéditif s'élevaient à cent soixante dollars.

Le soir, elle appela à la rescousse son vieil ami Walter Hégault qui, devinant l'urgence, ne se fit pas prier pour lui accorder une visite à domicile... Hélas, le traitement s'avéra inefficace. Après la cavalcade, Walter lui trouva un air curieux que son amour-propre l'empêchait d'imputer à sa performance. «Ça ressemble plus aux effets secondaires

du coup de foudre qu'à ceux du coup de foutre »,
opina-t-il, philosophe.

Amoureuse, elle? L'idée lui semblait d'autant
plus grotesque que Mariana avait toujours consi-
déré le coup de foudre comme une arnaque de pu-
blicistes destinée à mousser les ventes de la gomme
Dentyne!

Elle fit des heures supplémentaires au bureau. Se
tapa des douches froides puis des bains chauds. Se
mit au jogging, aux cours de natation, au tour des
Plaines en vélo. Se présenta dans des studios de
chiro, de massage et d'acupuncture. Alla même jusqu'à envisager d'anesthésier le désir avec un bouquin de Denise Bombardier.

Peine perdue.

L'image de Petit-Pierre la poursuivait où qu'elle
allât, quoi qu'elle fît.

Résignée à assumer pleinement sa dysfonction,
elle se mit alors en campagne. Fût-il pédé comme un
phoque, elle le voulait pour elle, rien que pour elle,
à jamais.

Échaudée par de récents bides amoureux, Mariana ne voulait cependant pas courir le risque de
voir ses avances repoussées. Par atavisme ou déter-
mination — elle-même ne savait trop —, elle prit
donc la route de Montréal et se rendit chez Papy
Bòkò, dont on disait le plus grand bien dans cer-
tains milieux, quoique toujours mezza-voce.

Le vieil homme la reçut en son saint des saints,
assis dans la position du lotus au pied d'un autel de
marbre. Quelques lampes-éternelles jetaient de
pâles lueurs sur un capharnaüm d'objets rituels:
cruches et carafes consacrées, paquets de cartes,

hochets et emblèmes divins, bouteilles de *kléren*[1]. Mue à la fois par un sentiment religieux et par la honte de se porter à de telles extrémités — elle, femme de carrière! —, Mariana inclina la tête et s'agenouilla pour confier son désarroi au *houngan*[2] qui l'écouta dans un silence sacerdotal.

Le récit achevé, le mage pointa du menton un panier d'osier à ses pieds. Mariana y déposa quelques billets en offrande à Legba, esprit-messager, car même à l'ère du village global les communications avec l'au-delà ne se font pas sans frais. Après les invocations d'usage, Papy Bòkò traça sur le plancher le blason d'Erzili, la voluptueuse dispensatrice des plaisirs.

Guidé par la déesse, il entreprit la fabrication d'une amulette. Il baptisa deux aiguilles du nom de Mariana et de Petit-Pierre, puis les coucha côte à côte de manière que le chas de l'une s'appuie sur la pointe de l'autre. Mariana s'amusa de la symbolique de cette position tête-bêche. Le *houngan* disposa des bouts de racines autour des aiguilles et s'apprêtait à nouer le tout avec du fil lorsque la jeune femme l'interrompit. Elle n'avait rien à foutre de fétiches porte-bonheur. Elle voulait quelque chose qui marche pour vrai!

Hochant la tête d'un air entendu, Papy Bòkò pointa du menton vers le panier d'osier derechef. Mariana y déposa une nouvelle offrande. Cette formalité accomplie, il prit sous l'autel un coffret en acajou contenant le matériel nécessaire à l'élaboration d'un véritable *wanga-nègès*[3].

---

1. Rhum blanc, de qualité inférieure.
2. Prêtre de la religion vaudou.
3. Littéralement, «sortilège de négresse»; philtre amoureux.

Dans un mortier, il pulvérisa le corps desséché d'un colibri en murmurant des litanies, y ajouta du pollen de fleurs sauvages et d'autres ingrédients non identifiés. Il pria Mariana de mêler à la poudre un peu de salive et quelques gouttes de sang menstruel. Elle hésita un moment, presque offusquée. Tant pis; la faim ne justifiait-elle pas les moyens?

Une fois le tout bien mélangé, Papy Bòkò le versa dans un sac fait du scrotum d'un taureau qu'il remit à Mariana. Le coût de la consultation, incluant appel outre-monde et préparation du philtre, ne dépassait pas soixante-dix dollars; pour cinq de plus, le *houngan* lui offrait une coupe de cheveux en prime…

De retour à Québec, Mariana n'eut aucune difficulté à obtenir le numéro de Petit-Pierre. Plus qu'un coup de fil, une invitation à un cinq-à-sept et le tour serait joué!

Le vendredi suivant, sur une terrasse, rue Cartier, à l'heure des rites précopulatoires de la faune bureaucratique, en toisant son gibier entre deux gorgées de sangria, elle se dit qu'il n'était pas beau, pas vraiment, et se demanda pourquoi alors son sang s'embrasait au moindre sourire qu'il lui adressait.

Profitant d'une excursion de sa proie côté petit coin, elle versa dans sa Guiness le précieux contenu du petit sac en cuir-de-poche. L'effet fut foudroyant; aussitôt la stout engloutie, Petit-Pierre la pressa de choisir, chez toi ou chez moi, plus une seconde à perdre, car la passion est un mets qui se consomme chaud.

Chez lui, ils se donnèrent tout juste la peine de refermer la porte derrière eux, obnubilés par la soif et la faim qu'ils avaient l'un de l'autre, s'arrachèrent mutuellement leurs vêtements dans le hall, avec l'impatience enjouée de gamins déballant leurs cadeaux de Noël. Ils se culbutèrent, firent courir sur leurs peaux lèvres, langues et dents. Ils éparpillèrent cris et ahans de par l'appart, se chevauchèrent, s'habitèrent, se possédèrent. Au creux des hanches et partout dans leurs chairs vibrantes, se déchaînèrent la joie et la furie intemporelles des esprits ancestraux.

Après le déluge, Mariana se sentit un rien honteuse du stratagème dont elle avait usé pour atteindre son but. Étendu près d'elle sur les draps poisseux, Petit-Pierre ronflait tel un percolateur. Elle soupira; le problème avec la baise, c'est qu'il faut toujours recommencer. Diable que la bête est triste après la mouille! dirait Walter.

Les muscles endoloris par toute cette gymnastique, elle se déroba à l'étreinte molle de son amant et se traîna péniblement jusqu'au frigo, à la recherche de limonade, d'eau, n'importe quoi pour étancher cette soif qui la consumait. Quelle ne fut pas sa surprise d'apercevoir, entre un pot de yaourt et un beurrier, un scrotum de taureau pareil à celui qui se trouvait dans son sac...

Mariana arqua un sourcil, perplexe. Puis se remémorant le goût étrange du punch que lui avait servi Petit-Pierre l'autre soir chez Antonin, elle ne put réprimer un éclat de rire.

La clé

Monique Proulx

Photo: J. Nadeau

Monique Proulx

Romancière et scénariste, elle est l'auteure d'un recueil de nouvelles, *Sans cœur et sans reproche* (Québec/Amérique, 1983, prix Adrienne-Choquette 1983 et Grand Prix littéraire du *Journal de Montréal* 1984), et de deux romans, *Le sexe des étoiles* (Québec/Amérique, 1987) et *Homme invisible* à la fenêtre, Boréal, 1993).

À monsieur Cayouette

J'aime les chemins qui montent. Tant de choses dans la vie, y compris la vie elle-même, ne font que descendre. J'aime les chemins ensoleillés qui montent, et celui-ci, justement, ne montait pas. Il s'enfonçait, noir, sous des murs d'arbres compacts, il plongeait dans des entrailles végétales suspectes d'où nous émergerions, c'est certain, à moitié digérés. Déjà, nous perdions du sang et des lambeaux de chair; déjà, nous étions livrés sans défense à des armadas d'insectes tout en dents et en mandibules.

Le propriétaire du chalet nous attendait en bas, au fond du gouffre. Lui aussi avait son bataillon de mouches noires guerroyant férocement autour, mais cela ne semblait pas l'incommoder. C'était un vieil homme. Il faut être vieux pour avoir l'habitude des gouffres. Bardés de verres épais, ses yeux de raton laveur nous regardèrent approcher sans nous sourire. D'ailleurs, tout le temps que dura notre rencontre il ne sourit pas, sauf une fois, très brièvement, lorsque je mentionnai que j'avais un chat.

Je crus voir à côté de lui une chaloupe rouge, couchée sur le flanc comme une agonisante et en arrière-plan de l'eau, mais je n'aurais juré de rien tant le rideau d'insectes carnivores se faisait opaque entre l'univers et nous. Il nous entraîna plus avant dans la jungle, sautillant sur les rochers moussus, acrobate guilleret traînant dans son sillage des balourds sous-doués, et bientôt il s'arrêta, le bras cérémonieusement tendu, car le lac était devant nous, encastré dans de molles montagnes. Un lac gris et grand, cerné de vert, du vert partout, uniformément vert. Des arbres, oui, mais pas de cette espèce hospitalière qui sert à donner de l'ombre et à accompagner des collations champêtres, non, des choses drues, maigres, au long cou tendu avidement vers la lumière, tissées tellement serré qu'elles ne pouvaient que renfermer des créatures enragées par la claustrophobie. «Le lac», dit-il. Puis, levant son autre bras: «Le camp», et nous vîmes que le chalet était là, au fond de la baie, comme effrayé par son audace, tentant de se dissimuler parmi la végétation.

Pour trente mille dollars il nous laissait tout: la chaloupe épuisée, les arbres étouffants, le lac gris, les moustiques à nourrir. Et le «camp», bien sûr, dans lequel nous finîmes par échouer, trop heureux de panser nos blessures de guerre — sauf lui, intact en apparence, qui nous prépara un café instantané tandis que nous grattions nos piqûres. Le chalet sentait le mulot et le prélart moisi. On avait une jolie vue, on voyait le lac, et tout ce vert partout autour — du vert, une couleur après tout écologique, et qu'on dit si reposante pour les yeux.

Celui parmi nous qui n'est pas moi dit:
«D'accord.» Je ne protestai pas, car l'été nous était
tombé dessus et il fallait bien fuir quelque part.
Mais l'été passerait en trombe comme tous les
autres et après on revendrait, tout se vend et se
revend, même son âme. Le vieil homme sortit une
clé et demanda en ne regardant que moi: «Aimez-
vous vraiment ça?» et son regard n'avait jamais été
si peu souriant et si hostile, et celui parmi nous qui
n'est pas moi répondit: «Bien sûr qu'on aime ça.»
Le vieil homme posa la clé à côté de moi sans me
toucher, il reporta ses yeux sévères sur le lac sans
plus nous regarder et je compris soudain qu'il ne
souriait pas parce qu'il avait de la peine.

«Le camp» et le lac avoisinaient un village, et ce
village n'était pas beau. Il abritait bien une église de
bois, une caisse populaire, des commerces pour
acheter de la viande de bœuf et du pain blanc, et
quelquefois des bacs à fleurs devant des façades
rococo, mais là s'arrêtait l'esthétisme. Les deux
échantillons humains que je rencontrai en achetant
du lait n'étaient pas beaux non plus. Le premier
demanda à l'autre, qu'il connaissait visiblement
depuis longtemps: «As-tu tué?», et l'autre répondit:
«Ben non!» avec force détails désolés, et je sus tout
de la chasse à l'ours telle que pratiquée glorieuse-
ment dans ce coin de pays, il suffisait d'attirer les
ours avec des affaires qui puent, et les ours, qui sont
de mécréantes bêtes aimant les affaires qui puent,
accouraient se faire nourrir d'une main, minou
minou, et tirer de l'autre. Il n'y a que le sport.

Des ours, je n'en croisai guère cette première
soirée où nous prîmes possession des lieux, mais ce

fut là la seule espèce vivante, à vrai dire, à faire preuve de discrétion. Ce bord de lac était en fait un zoo à aire ouverte dans lequel les insectes n'étaient pas les moins représentés. Ils œuvraient selon des horaires scrupuleux, les maringouins succédant aux mouches noires qui elles-mêmes relevaient de leur fonction les mouches à chevreuil, course à relais enlevée où l'on se passait avec enthousiasme le flambeau de la chair humaine. Il y avait aussi des papillons de nuit grands comme des chauves-souris et d'énormes hannetons aveugles qui venaient buter sans cesse contre nous leur corps replet; mais ceux-là, au moins, ne se nourrissaient pas. Plus tard, nous découvririons dans le chalet des fourmis charpentières occupées à grignoter la totalité des poutres. Mais en attendant, au cours de cette nuit inaugurale, le chalet nous sembla un refuge presque rassurant, une loge un peu retirée d'où l'on pouvait observer sans trop d'engagement les défilés de la vie sauvage. Une famille de mouffettes musarda un moment dans les fourrés en échangeant des grommellements. Quelque chose d'amphibie traversa le lac. Quelque chose d'ailé lâcha dans nos fenêtres un cri d'égorgé. Quelque chose de gros vint carrément frapper à la porte: un porc-épic délavé, aux appétits opiniâtrement dirigés vers la colle de notre contre-plaqué. Je ne dormais pas. La chatte non plus ne dormait pas, engagée dans un safari excitant avec les colonies de mulots. Celui parmi nous qui n'est pas moi ronflotait du sommeil infâme des inconscients. La nuit passait, horriblement blanchissante, et je ne dormais pas.

Il n'y avait pas de place pour moi dans tout ce fourmillement, j'étais une intruse rejetée à jamais dans l'insomnie, une maladie combattue par les anticorps d'un organisme monstrueux.

Le matin, j'étais sur le quai à m'asperger d'eau froide lorsque le soleil me surprit. C'était un 10 juin, et ce soleil de juin était une flèche qui transperce et qui embrase, et voilà que la forêt prit feu, avec le lac et tout ce qui vivait autour. Dans la lumière de l'incendie, il n'était plus possible de ne pas voir. Je vis des papillons à queue jaune et des oiseaux supersoniques, des lucioles accouplées et des libellules hélicoptères, je vis les bourgeons neufs des épinettes étincelants comme des bagues et tellement de couleurs et de bruissements, partout, une débauche de vies triomphantes. Dans le soleil de l'incendie, il n'était plus possible d'ignorer plus longtemps que cet endroit broussailleux, encombré, primaire, était en réalité un paradis, un jardin sacré dont on m'avait miséricordieusement confié la clé. À cause du soleil, je m'étendis sur le quai, en ce 10 juin d'il y a dix ans, et je vis tout ce qu'il y avait à voir, je vis le sentier qu'emprunte chaque matin l'orignal pour aller boire, les chanterelles et les cèpes champignonnant dans la mousse, je vis la chaloupe rouge qu'on ravauderait chaque printemps comme une part de nous qui fuit et qui persiste, je vis toutes les fissures par où se faufiler pour comprendre le monde, je vis cette vieille dame que je serais un jour, sautillant sur les rochers moussus d'un pas guilleret, environnée de mouches noires qui ne la touchent pas.

L'amour à deux temps

Jean-Robert Sansfaçon

Photo: Jacques Grenier

Jean-Robert Sansfaçon

Écrivain et journaliste, il a publié trois romans: *Loft Story* (Quinze, 1986), *L'eau dans l'encrier* (Quinze, 1989) et *Derniere Théâtre* (VLB, 1991).

Moi, c'est Alex. Alexis. Elle, c'est Charlotte. Ma femme. Nous dormons ensemble depuis cent ans. La chaleur est accablante et le lit trop étroit. Quel désastre! La chaleur n'y est pour rien. C'est le lit. Ou la vie. Fuir ce lit, ces draps qui sentent l'ennui. Il y a longtemps que j'aurais dû sortir d'ici. Bien avant l'été. Juste après l'amour.

La première fois, nous n'avions pas vingt ans, cela avait duré toute la nuit. Comme dans les romans. Mais non, nous n'avions pas fait l'amour, nous nous étions attendus. Si au moins nous avions baisé, cette nuit-là, sans laisser le désir monter pendant des jours et s'installer à demeure, peut-être que tout se serait terminé avant l'heure du petit déjeuner. L'amour est un désir inassouvi. Il tue plus sûrement qu'un fusil. L'amour suicide. Il a suffi de se résister l'un à l'autre pour devenir amoureux.

Elle dansait seule. Seule parmi dix, cent autres bougalous. J'étais l'un des cent qui tournaient autour, qui sautaient d'une jambe sur l'autre, genoux au menton, cheveux au vent des décibels. Tous les soirs au même bar, en compagnie des mêmes têtes

brûlées. Danser pour s'éclater, en s'évitant pour
mieux se séduire. Les yeux fermés, la sueur sur la
nuque, toujours les bras au ciel et cette musique à
rendre sourdingue. Et la bière!

Cette fille, Charlotte, gardait les yeux fermés,
pour mimer la solitude. Ou l'indépendance? Pendant des semaines et des semaines, tous les soirs,
sur la même piste de danse, au bruit des mêmes
airs, au rythme des mêmes coups de mortiers,
happé par le tourbillon de cette valse de fonds de
bouteilles, ce rock des bouchons qui sautent. J'es-
pérais qu'elle ouvre un œil, qu'elle me voit. Jamais
en dansant, jamais.

Trente ans plus tard, elle a toujours les yeux fermés et elle dort. Là, trop près de moi. La danse des
époux, le *reel* des draps froissés par le temps. Je
n'attends plus qu'elle ouvre l'œil. Il n'y a plus rien à
attendre.

Il ne fallait pas laisser monter le désir, mais agir.
Se caresser, s'aimer et vite. Puis se quitter, avant la
fin de la nuit si possible. «C'était bien, tu me laisses
ton numéro, je te rappelle. Ton nom, c'est quoi
déjà?» Et non. L'amour à l'âge con, un fantasme. Je
lui décrocherais Vénus et lui offrirais des bonbons,
parce que «les bonbons c'est tellement bon, et que
les fleurs, c'est périssa-a-ble.»

Des semaines à l'attendre. Puis un soir, après la
danse, elle m'invita chez elle. Chez ses parents. Il
était tard, nous étions fatigués, un peu ronds. Sa
chambre tenait dans un coin du sous-sol. On y accé-
dait en silence par un escalier jouxtant la chambre
des parents. Un sanctuaire aux couleurs, aux odeurs
de la romance. Rose fille et blanc vierge. Le lit était

si petit... Je ne voulais pas dormir. Pas si vite, pas cette nuit-là. Je caressais ses cheveux, sa nuque, elle ne réagissait pas. Elle dormait.

J'attendis. Qu'elle se réveille, ou que le jour se lève. J'attendais. Mais la lampe éteinte, la nuit était épaisse, lourde comme un mur de plomb. Chacun de mes gestes faisait grincer doucement les ressorts fatigués du matelas d'enfant. Dormait-elle vraiment ?

Quand les premiers rayons du jour traversèrent le rideau de dentelle suspendu au soupirail, elle se leva, prête à partir.

— Partir pour où ?
— Voir le lever du soleil !
— À cette heure ?
— Tu connais une meilleure heure ?

Nous nous sommes habillés et je l'ai suivie jusqu'au bout d'un terrain vague. Assis sur un tronc d'arbre, serrés l'un contre l'autre, le silence entre les lèvres, jusqu'à ce que le spectacle ne justifie plus le prix d'une nuit blanche. Sans préambule, elle dit :

— Je serai comédienne !

Heureuse femme ! Sûrement qu'elle n'aurait jamais besoin d'un homme. Je l'enviais, moi qui n'existais même pas encore. Elle était l'Himalaya et j'aurais voulu l'escalader, la conquérir. C'est à ce moment précis qu'il aurait fallu fuir, retourner chez mon père. Trop tard : je l'aimais.

Des deux enfants que nous eûmes, la plus vieille est devenue comptable parce qu'il n'y a pas de sot métier. Quant au garçon, il rêve de faire le Conservatoire. Comme sa mère qui, pourtant, n'est jamais devenue comédienne. À quoi bon quand les rêves suffisent.

Aucun doute, elle dort, mais elle a cessé de rêver. Elle prétend qu'elle n'a plus l'âge.

Au matin du mariage, le juge avait les traits de mon père. La cérémonie tournait à la messe noire. On y sacrifia des animaux vivants et deux enfants. «Les enfants de l'amour», avait dit le juge. Charlotte était hypnotisée. J'ai voulu fuir, elle m'en empêcha. Ses yeux disaient qu'il était trop tard, que j'aurais dû savoir. Que ce n'était pas un mariage, mais un piège. Elle souriait, satisfaite.

❏

— Alex, réveille! Réveille, mon fils! Faudra qu'un jour tu m'expliques...

— T'expliquer quoi?

— ... comment on peut dormir aussi longtemps le matin de ses noces.

— Je rêvais...

— ... t'as toute la vie pour rêver, mon gars.

— ... je rêvais que j'étais toi, marié, père de deux enfants. Et Charlotte m'aimait.

Table

Cet ouvrage composé en Cheltenham corps 12 sur 14
a été achevé d'imprimer
en novembre mil neuf cent quatre-vingt-treize
sur les presses de l'Imprimerie d'édition Marquis ltée,
Montmagny (Québec)